ISABELLE FILLIOZAT ★ VIRGINIE LIMOUSIN ★ ÉRIC

les cahiers Filliozat

Colère et retour au calme

Nathan

Découvre aussi dans la même collection :

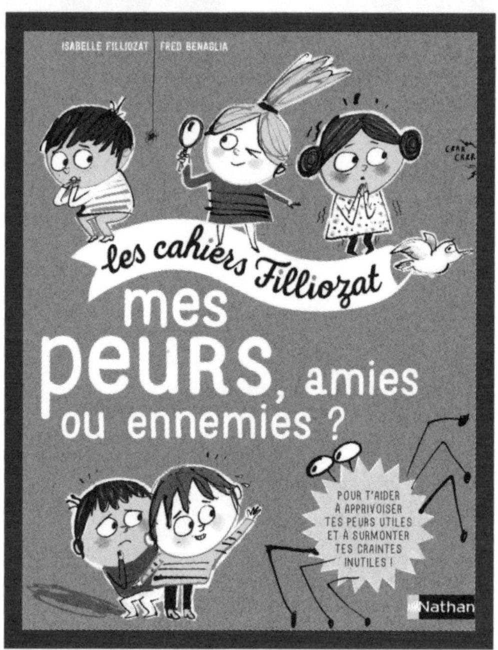

92, avenue de France, 75013 Paris
ISBN : 978-2-09-257208-5
Loi n°49-956 du 16 juillet 1949
sur les publications destinées à la jeunesse,
modifiée par la loi n°2011-525 du 17 mai 2011.

Achevé d'imprimer en janvier 2022 par Laballery en France
N° d'éditeur : 10280482 - Dépôt légal : août 2017.
N° d'impression : 111089

GLUE STIC
de la colle
des ciseaux
Pour utiliser ce cahier,
il te faut un peu de matériel :
du scotch
une gomme
UBU patafix
OLOR
des crayons et des feutres
de la Patafix©
Les gommettes sont
à la fin de ton cahier !

La violence, l'agressivité, la rage, les coups...
il y en a partout autour de nous. Cherche et trouve : deux chats
qui se battent, une mamie qui crie sur sa petite-fille, un chef
qui mène ses troupes à la guerre, une fille qui assomme son frère...

... un garçon qui mord son cousin, des enfants qui se bagarrent, une fille qui se fâche contre son papa, une maîtresse qui humilie un élève, des écoliers qui harcèlent une fille, des ninjas qui combattent.

Dessine un orage, colle des éclairs et colorie avec beaucoup de noir.

Tu aimes ce monde ?

☐ OUI ☐ NON

Tu aimes ce monde ?

☐ OUI ☐ NON

Alors on doit se résigner ? Soit on fait la guerre soit on se fait marcher sur les pieds ?

NON ! Viens avec moi, je vais te montrer quelque chose !

Je suis le professeur
Colérius et j'étudie la colère
depuis plus de 130 ans !
Regarde les deux scènes suivantes
et devine ce qui est de la violence
et ce qui est de la colère.

Colle le bon mot sous chaque scène.

TÊTE DE CHACAL !
ESPÈCE D'IDIOT !

JE SUIS EN COLÈRE QUAND TU PRENDS UN LIVRE DANS MA CHAMBRE SANS MA PERMISSION !
C'EST LA RÈGLE QU'ON A DÉCIDÉE ENSEMBLE !
TATANE LE CANARD

La colère est une énergie qui nous vient de l'intérieur de notre corps. Elle sert à nous définir, à dire nos limites, ce que l'on aime et ce que l'on n'aime pas, ce qui nous blesse et ce que nous voudrions à la place.

La violence, c'est blesser l'autre, lui faire mal. C'est chercher à forcer l'autre au lieu de chercher à le comprendre et à ce qu'il nous comprenne.

Que préfères-tu : LA VIOLENCE ☐ LA COLÈRE ☐

Colorie comme tu veux
les lettres de la phrase suivante :

non à la

VIOLENCE

oui à la

COLÈRE

Un copain t'arrache ton nouveau jouet des mains ;
tu lui reprends en le lui arrachant ; il te le prend en te tapant,
tu lui donnes un coup sur la tête, il te tire les cheveux...

Dessine votre tête à tous les deux
à la fin de la bagarre !

Relie à la poubelle les phrases que tu n'as pas envie d'entendre et à la boîte à colère, celles que tu acceptes d'entendre.

TU ES NUL(LE) !

TU ES MÉCHANT(E).

JE SUIS EN COLÈRE PARCE QUE C'ÉTAIT MON TOUR.

J'AIMERAIS QUE TU TE RENDES COMPTE QUE ÇA M'A FAIT MAL.

JE N'AIME PAS QUAND TU ME CRIES DESSUS.

JE NE T'AIME PLUS !

JE NE VEUX PLUS TE VOIR.

TU N'ES PLUS MON AMI(E) !

TU L'AS FAIT EXPRÈS POUR M'EMBÊTER, TU ES SANS CŒUR !

JE SUIS FÂCHÉ(E) QUAND TU CASSES MA CONSTRUCTION !

Nous avons besoin des mots pour exprimer notre colère de manière acceptable. Mais ce n'est pas toujours facile...

...de trouver les bons mots : certains peuvent blesser comme des coups ; d'autres disent ce que l'on ressent et ce que l'on veut.

Il arrive que l'on dise
des mots blessants comme
« je ne t'aime plus,
tu es méchant(e) », y compris
à des gens que l'on aime.
Quand on s'en rend compte,
on peut s'excuser
et dire ce que l'on ressent.

*Page ci-contre,
il y a un message secret.
Pour le décoder, place la page
devant un miroir.*

J'AI LE **DROIT** D'ÊTRE EN **COLÈRE** ET DE **DIRE** QUE **QUELQUE CHOSE** NE ME **CONVIENT** PAS.

J'EXPRIME MA **COLÈRE** POUR RÉSOUDRE **MON PROBLÈME.**

La colère est une émotion
qui peut être difficile à réguler.
Elle nous donne parfois envie de taper...
et après, on regrette.

Pour maîtriser notre colère,
nous avons besoin de beaucoup d'oxygène
et de bien respirer !

Construis ton ascenseur à oxygène
et apprends à respirer !

Ferme tes yeux et laisse venir
une couleur qui représente pour toi le calme
et la maîtrise de soi.

Dès que tu as vu ta couleur,
ouvre les yeux et colorie ton ascenseur nuage
de cette couleur !

Découpe la bande avec le nuage
et tourne la page.

Découpe la page de droite.

Demande à un adulte de faire
2 fentes verticales avec un cutter
en suivant les pointillés.

Glisse la bande avec le nuage entre
les 2 fentes et colle les 2 extrémités
l'une sur l'autre.

Ton ascenseur est prêt !

L'ascenseur démarre au niveau 0.
Tu inspires lentement en montant l'ascenseur.

Tu peux en même temps visualiser
et sentir ton souffle qui monte
dans ton corps jusqu'au 5e étage.

Puis tu expires en descendant l'ascenseur,
le plus lentement possible.

Tu peux aussi compter
dans ta tête en respirant
de 0 à 5 à l'inspiration, puis de 5 à 0.

C'est souvent difficile d'exprimer sa colère à son papa ou à sa maman.
Choisis une situation qui te met en colère ou qui te fait de la peine,
et remplis la phrase (si besoin avec l'aide de ton parent.)

Je suis en colère quand tu me promets de jouer dans 5 minutes et que tu restes au téléphone avec ta copine...

Je suis en colère quand tu..

....

....

....

Et j'aimerais que tu..

....

....

....

Ensuite, assieds toi confortablement avec ton parent, et dis-lui tranquillement ta phrase. Vous pouvez parler ensemble de la situation et chercher des solutions.

Dessine la scène où vous êtes tous les deux en train de parler.
As-tu senti l'amour entre vous quand tu as dis ce que tu avais sur le cœur ?
Colle des cœurs tout autour de vous.

Oser dire sa colère crée de l'intimité, restaure l'équilibre et l'harmonie dans la relation. Après, on peut parler de la situation et ressentir à nouveau l'amour.

Quand on est en colère, on est souvent tout rouge :
colorie ces visages en rouge puis, à l'aide des gommettes,
donne-leur une expression de colère.

Et toi, quelle tête as-tu quand tu es en colère ?
Dessine-toi dans le cadre.

Colle une petite gommette aux endroits où tu vois un signe de colère.

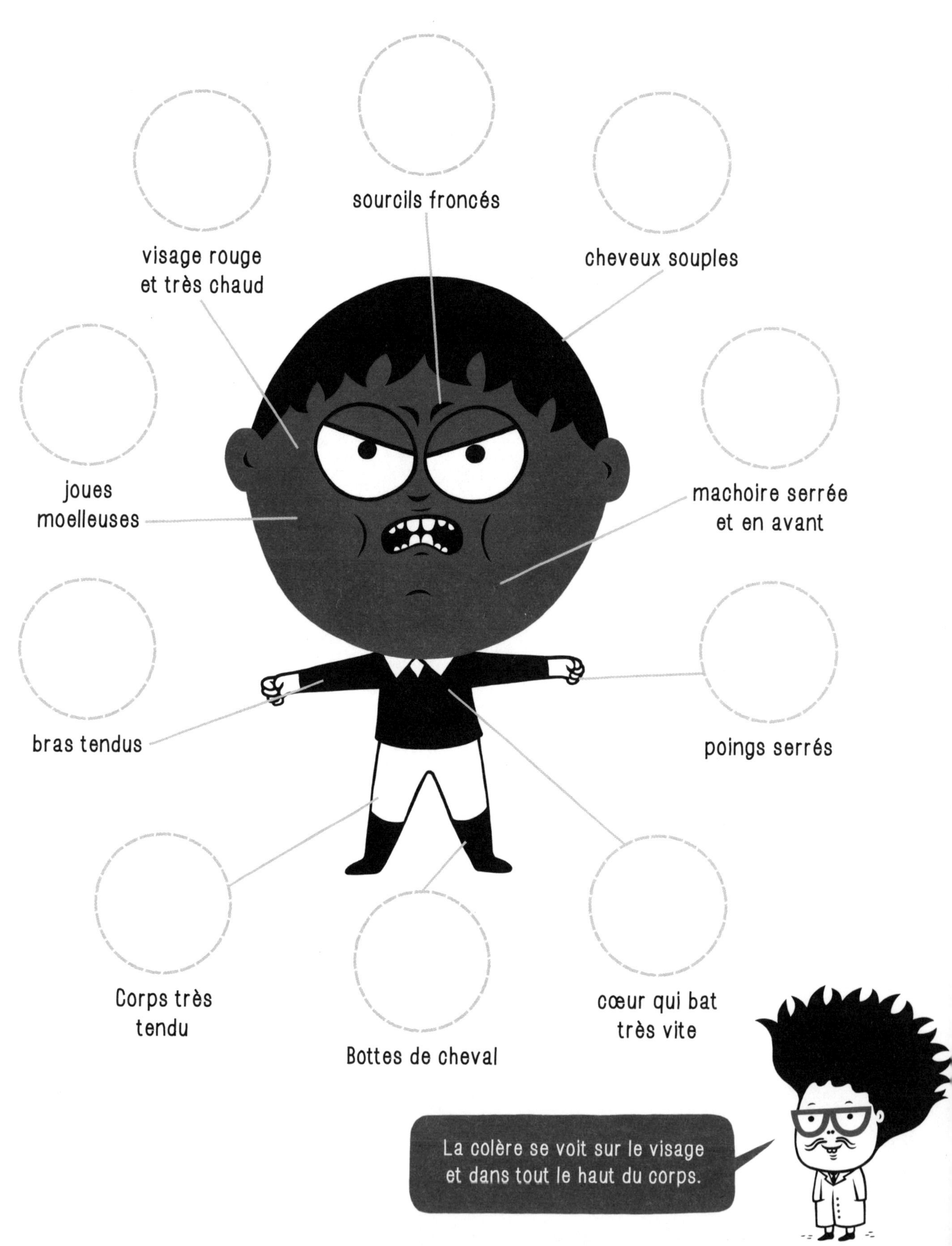

Entoure ce qui te ressemble le plus quand tu es en colère.

Leila, enlève cette jupe tout de suite ! Je t'ai dit de mettre un pantalon pour aller au parc !
Leila est triste alors qu'elle devrait être en colère face à son papa. Elle pleure car elle a perdu sa colère.
Elle a besoin de la retrouver pour pouvoir exprimer ses goûts et son identité tout au long de sa vie. Peux-tu retrouver sa colère qui est cachée dans la scène ?

Dans la vie, on a besoin de faire des choix, de sentir qu'on décide pour soi. Choisir ses habits, la décoration de sa chambre, le livre que l'on va lire.. Et plus on grandit...

... plus on fait des choix difficiles ! Quand un humain est face à la contrainte, qu'il est obligé de faire quelque chose, il ressent de la colère, c'est naturel et universel !

Choisis l'outil qui pourrait aider Leila.
Pour cela, fais les 3 actions et vois laquelle fait du bien.

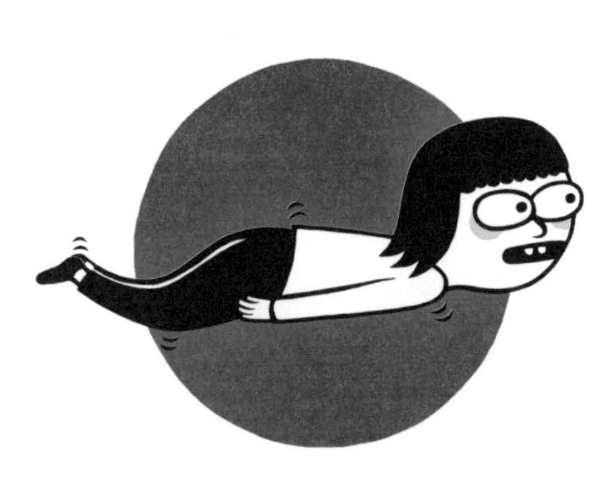

LE VER DE TERRE
S'allonger et ramper les bras le long du corps.

LE LION
Faire une grimace, ouvrir grand la bouche et tirer la langue le plus bas possible ; puis rugir et griffer l'air.

L'AUTRUCHE
Creuser un trou dans le jardin et mettre la tête dedans.

Les humains n'aiment pas recevoir des ordres ! Le lion t'aide à t'en souvenir, à te recentrer et à dire à ton parent que tu as besoin de choisir.

CINÉMA

Tu attends la sortie de la suite de ton film préféré depuis des mois. Tu arrives devant la caisse du cinéma et la séance est complète ! Dessine-toi avec un copain.

Que ressens-tu ? Coche la case :

Une joie immense ! Je ris, je sens mon cœur battre gaiement, je saute en l'air.

Quand j'imagine tous les enfants devant le film que j'attends depuis 6 mois… je suis… tellement… triste.

NON ! CE N'EST PAS POSSIBLE ! Je suis frustré(e), je suis en colère ! C'est pas juste ! Je sens mon cœur battre à toute allure, j'ai chaud aux oreilles, ma machoire s'avance, mes poings sont serrés.

Eh oui ! Nous sommes en colère quand nous vivons une frustration, c'est-à-dire quand on ne peut pas avoir ce que l'on veut.

La tristesse c'est l'acceptation. Mais au début, on refuse la situation, c'est la colère !

Entoure tout ce qui te semble
être déclencheur de colère :

On est en colère aussi quand on n'arrive pas à faire quelque chose. C'est aussi une frustration.

Souviens-toi d'une fois où tu as eu
une grosse frustration et raconte l'histoire par écrit
(ou fais écrire un adulte), ou dessine-la.

....

....

....

....

....

....

....

Au concert de ton groupe de musique préféré, tu te retrouves derrière une grosse foule, tu ne vois rien ! Tu es frustré(e), en colère !

Dessine-toi et remplis les bulles avec des mots ou des dessins qui expriment la colère.

Il y a toujours plusieurs façons d'exprimer et d'utiliser sa colère.
Que choisis-tu de faire ?
TAP TAP
A Je libère ma colère en tapant des pieds et je respire, ça m'aide à retrouver mon calme. Finalement, on entend très bien du fond, il y a un écran géant pour voir le groupe !
YOUPI!
B J'utilise toute mon énergie de colère pour avancer dans la foule et je me retrouve au premier rang ! youpi !
GRRRRRR!
C Je décide de rester furieux/se et de passer une très mauvaise soirée.
D Je saute très haut au rythme de la musique, je libère ma colère. Je ne vois pas très bien, mais j'entends parfaitement !

Voici Miss Mouv'.
Sa spécialité :
l'expression de la colère.
Écoutons-la attentivement.

La colère est déclenchée par notre cerveau quand nous vivons une frustration, que nous sommes blessé(e), que l'on empiète sur notre territoire...
...et elle remplit tout notre corps pour le mettre en mouvement et que nous nous affirmions !
Parfois, il suffit de respirer, d'enfoncer ses pieds dans le sol, de regarder la personne bien en face et de dire notre méconten-tement. Si on est écouté, la colère part.
Quand on exprime sa colère à la bonne personne et au bon moment, on s'en libère.
Parfois, il reste des tensions dans notre corps, nos bras, nos jambes. Nous avons besoin de bouger pour nous en libérer.

Voici des idées pour montrer ta colère
et lâcher ton trop-plein de tensions.
Entoure celles que tu préfères.

❶
Crier « Non »
ou « Stop » ou
« Tu n'as pas le droit ».

❷
Taper dans
les mains de ton papa
ou de ta maman
pour montrer la force
de ta colère.

❸
Taper des pieds
en râlant.

❹
Lancer des peluches
contre le sol ou tirer
dans un ballon.

❺
Gronder comme
un tyrannosaure
et griffer l'air avec
tes mains.

Chaque fois que tu utilises un outil, colle une étoile :

Crier « Non » ou « Stop » ou « Tu n'as pas le droit ».	
Taper dans les mains de ton papa ou de ta maman.	
Taper des pieds en râlant.	
Lancer des peluches contre le sol ou tirer dans un ballon.	
Gronder comme un tyrannosaure et griffer l'air avec tes mains.	

Remets l'histoire dans l'ordre à l'aide des gommettes.

Pour se libérer de sa colère Tao a utilisé les positions du volcan !
Fais comme lui pour t'entraîner :

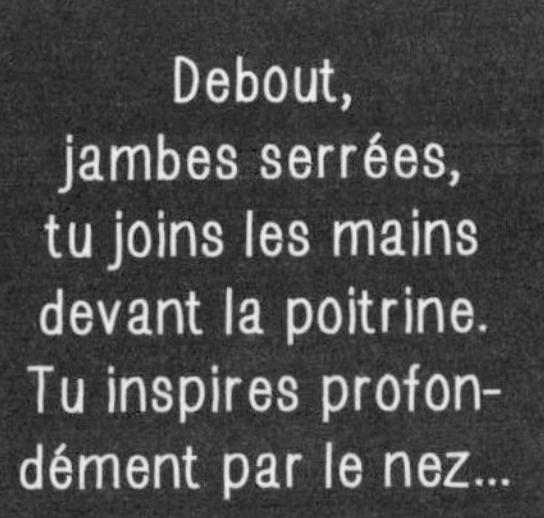

Debout, jambes serrées, tu joins les mains devant la poitrine. Tu inspires profondément par le nez...

...en laissant lentement aller les mains vers le haut. C'est la lave qui monte dans le cratère.

Quand tes bras sont arrivés au-dessus de ta tête saute les jambes écartées tout en ramenant les bras le long du corps par les côtés.

Tu expires en même temps fortement par la bouche. C'est l'explosion du volcan !

Une fois que tu as sauté, respire profondément et visualise toute ta lave qui sort par le sommet de ton crâne et qui coule le long du volcan jusqu'au sol. Tu te libères de ta colère !

Imagine que tu es fâché(e) et gribouille ta colère.
Souvent on utilise du rouge, du noir, du orange, mais pas toujours.

Tu peux continuer avec des feuilles blanches, et si tu es vraiment énervé(e), tu peux aussi déchirer et lancer loin ton dessin en boule.

MON DESSIN DE COLÈRE

Procure-toi des grandes feuilles de papier journal et fais le ninja !

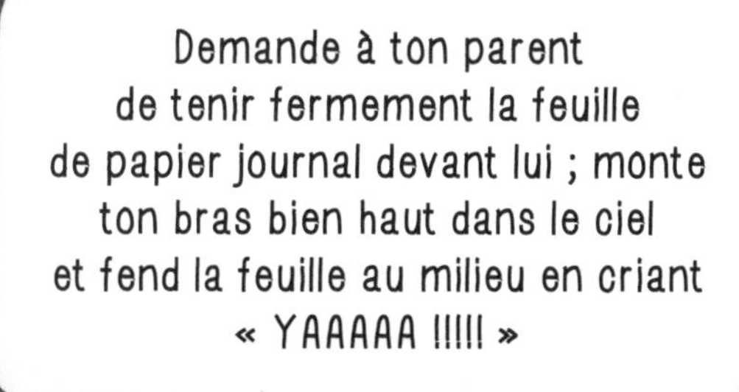

Demande à ton parent de tenir fermement la feuille de papier journal devant lui ; monte ton bras bien haut dans le ciel et fend la feuille au milieu en criant « YAAAAA !!!!! »

Continue à couper les feuilles en petits morceaux !

Une fois la colère passée, on ressent à nouveau la joie et on peut finir avec une bataille de boules de papier !

Découpe la roue ci-contre et accroche-la à un endroit bien visible.

Dès que tu ressens de la colère, regarde vite ta roue, respire avec l'ascenseur et prends le temps de choisir l'outil qui te correspond le mieux.

JE LIBÈRE MA COLÈRE
Je déchire des papiers, je fais des boules, je les lance, je les piétine.
Je fais le ninja.
YAAA!
Je gronde comme un tyrannosaure et griffe l'air avec mes mains.
GRRRRR !
Je dessine ma colère.
Je lance des peluches contre le mur ou je shoote dans un ballon.
BING !
Je tape dans les mains de papa ou maman pour montrer la force de ma colère.
CHTAC
Je tape des pieds ou je fais le volcan.
J'exprime ma colère avec des mots.
JE SUIS EN COLÈRE !

Pour t'entraîner à t'affirmer, tu peux jouer au tigre avec ton parent : debout, bras tendus, tes paumes contre celles de ton parent, tu le pousses jusqu'à le faire tomber sur le canapé.

Colorie ce tigre et dessine la jungle autour de lui.

Ton grand frère adore te porter et te faire tourner.
Tu lui as déjà dit d'arrêter plusieurs fois mais il continue.
Choisis ce que tu fais :

ET VOiLÀ !
EH! EH!
MAMAN !
1
Tu l'assommes avec une massue. Maintenant il ne t'embêtera plus.
2
Tu te résignes et tu acceptes qu'il continue tout l'après-midi.
3
Tu respires, réfléchis et finis par aller demander de l'aide à ton papa ou à ta maman.
Parfois, dans certaines situations, on a besoin de respirer avec l'ascenseur de la p. 15.
As-tu besoin de l'aide d'un adulte en ce moment ? À la maison ? À l'école avec un élève qui t'embête ? Ailleurs ?
...et de l'aide d'un adulte ou d'une tierce personne pour réguler les conflits.

Les choses qui me mettent
en colère en ce moment :

....

....

....

....

....

....

....

....

....

....

....

....

....

....

....

....

....

Encore une fois,
ton frère/ta sœur/un copain/une copine prend
tes affaires sans te demander la permission !

Ça ne peut plus continuer comme ça !
Plein d'énergie, tu décides d'agir !

Découpe le tableau,
affiche-le à un endroit
bien visible pour que tes règles
soient connues et respectées
par la famille.

Je veux bien prêter ★	Je veux bien prêter sous condition ★	Je ne prête pas

Maintenant, choisis un endroit sûr
où tu vas pouvoir mettre les affaires que tu ne prêtes pas.

Dessine les 3 objets que tu aimes le plus et que tu ne prêteras
jamais tellement tu y tiens !

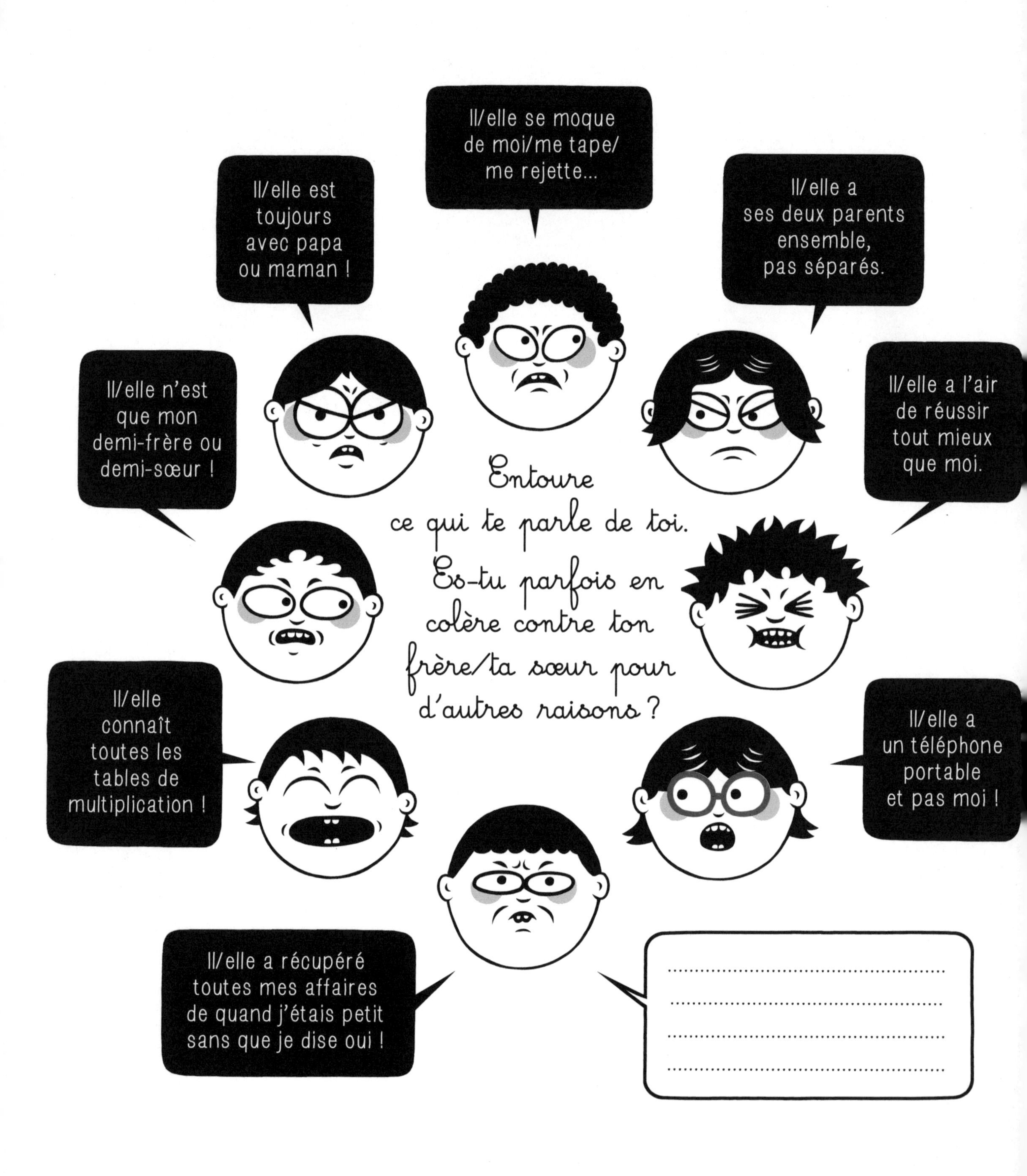
Il/elle se moque de moi/me tape/ me rejette...
Il/elle est toujours avec papa ou maman !
Il/elle a ses deux parents ensemble, pas séparés.
Il/elle n'est que mon demi-frère ou demi-sœur !
Il/elle a l'air de réussir tout mieux que moi.
Entoure ce qui te parle de toi. Es-tu parfois en colère contre ton frère/ta sœur pour d'autres raisons ?
Il/elle connaît toutes les tables de multiplication !
Il/elle a un téléphone portable et pas moi !
Il/elle a récupéré toutes mes affaires de quand j'étais petit sans que je dise oui !
....
....
....
....

Parfois aussi, notre colère cache des peurs enfouies au fond de notre cœur depuis très longtemps :

J'ai peur que maman ou papa ne m'aime plus comme avant ou m'aime moins...

Profite de ce cahier d'activités pour parler quelques minutes un soir, au moment du coucher, de tes peurs anciennes ou actuelles.
En parler enlève les soucis de notre cœur... l'amour et la joie reviennent à la place de la colère.

Parfois, on se sent en colère mais c'est de la fausse colère. Il s'agit d'énervement ou d'agressivité qui cache en réalité...
...d'autres émotions comme la peur ou la tristesse... ou d'une accumulation de tensions. Quand cela t'arrive, tu as besoin de te calmer pour sentir la vraie émotion.

Tu peux colorier ces mandalas en faisant la respiration de l'ascenseur pour retrouver ton calme.

Tu peux aussi colorier ces ronds
du plus petit au plus grand avec plein de couleurs.

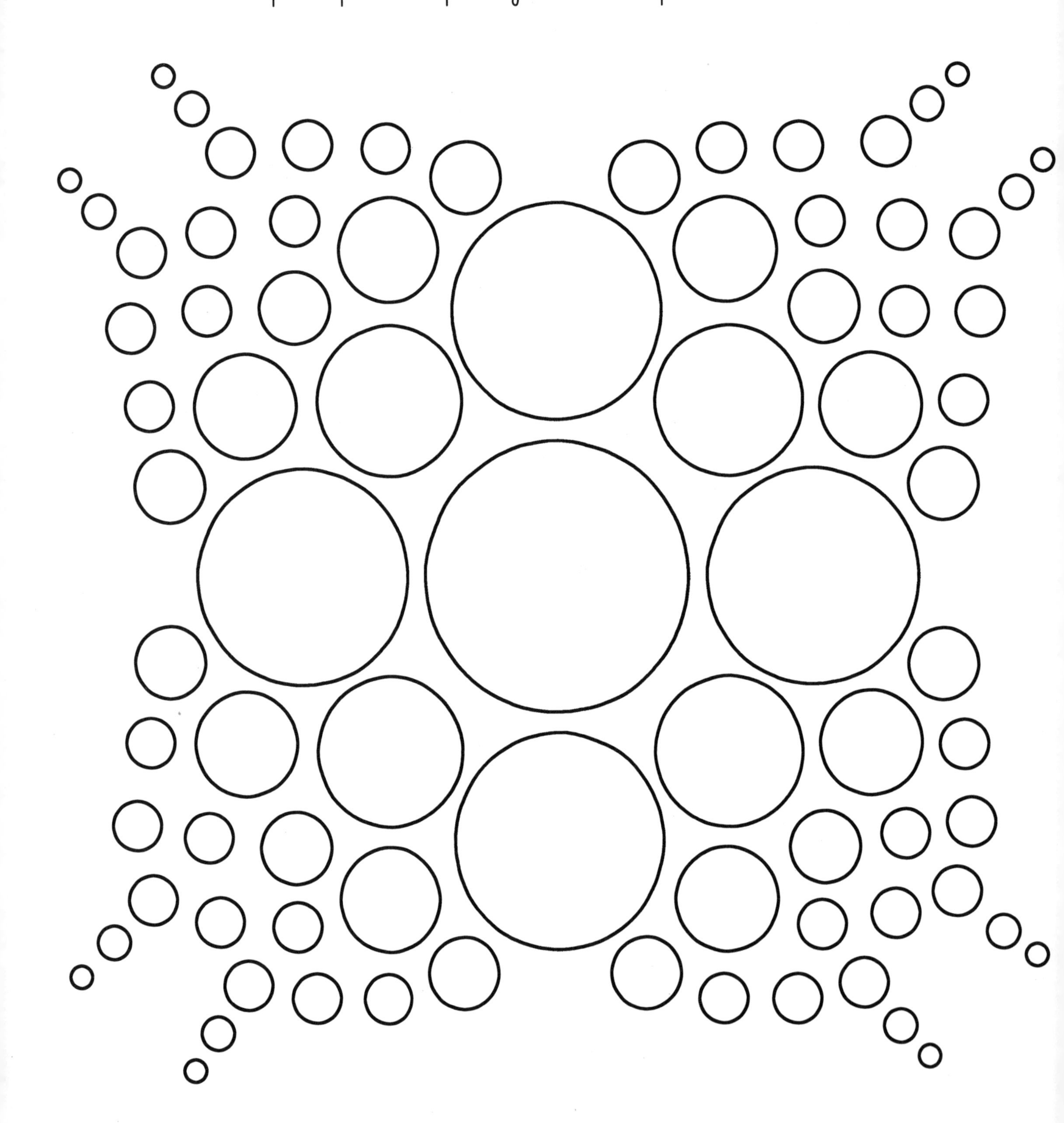

Louisa est inquiète car le chat de sa copine est malade.
Elle garde enfouie sa tristesse et,
au moment du coucher, elle est agressive.

Colorie les scènes.

Dessine une colère qui cache une tristesse.

Au début, c'est un peu difficile de parler de ce qui nous pose problème, de ce qui nous blesse, nous frustre, nous contraint...
Puis on s'habitue : plus on parle, plus on se sent à l'aise, on trouve les bons mots et ça devient facile !

Le contact physique nous détend et nous met en confiance pour aborder les sujets difficiles.

Pour t'aider à parler
à ton parent ou à ton ami,
voici une petite technique :
pose ta main sur la sienne
pendant 20 secondes.

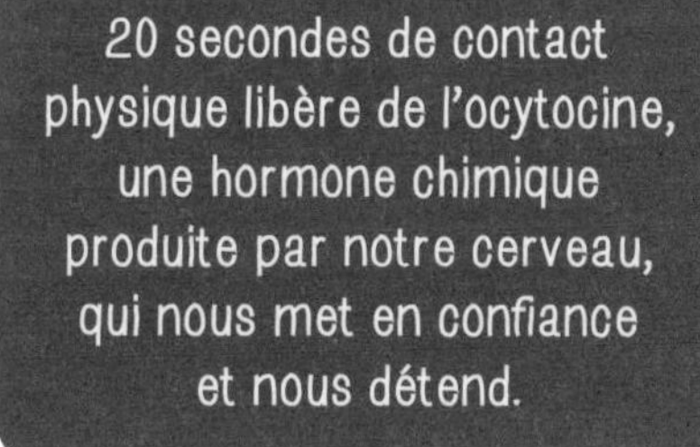

20 secondes de contact physique libère de l'ocytocine, une hormone chimique produite par notre cerveau, qui nous met en confiance et nous détend.

Parfois, on se sent tout le temps énervé, irritable. Au petit déjeuner, à l'école, le soir à la maison, tout nous agace, on n'a rien envie de faire, on est agressif.
C'est comme si on était tout le temps en colère ! Mais d'où est-ce que ça vient ?
Nous nous sentons en colère parce que nous avons plusieurs problèmes dans notre vie, nos parents ne sont pas trop disponibles pour jouer ou parler, c'est dur avec les copains, à l'école...
Notre réservoir d'énergie est vide ! Comme une voiture en panne d'essence, nous n'arrivons plus à avancer gaiement dans la vie.

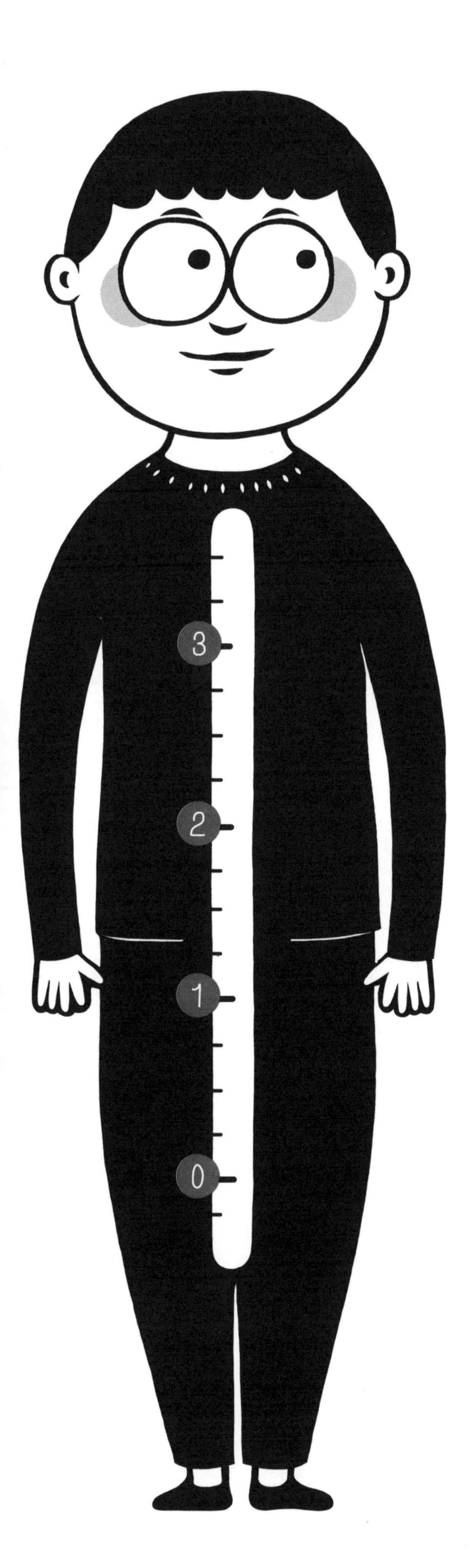

Comment est ton réservoir en ce moment ? Dessine l'essence dans ton réservoir et vois ce que tu peux faire pour le remplir :

3 NIVEAU HAUT
Chouette ! Pour rester au top, tu as besoin d'un temps rien qu'à toi avec maman ou papa.

2 NIVEAU MOYEN
Attention ! Pour ne pas te vider, tu as besoin d'un temps rien qu'à toi avec ta maman ou ton papa.

1 NIVEAU BAS
Urgent ! Va vite à la pompe, tu as besoin dès que possible d'un temps rien qu'à toi avec ta maman ou ton papa.

0 NIVEAU TRÈS BAS
Urgentissimme ! Cours à la pompe, tu as tout de suite besoin d'un temps rien qu'à toi avec ta maman ou ton papa.

Le mieux c'est de remplir le réservoir un peu tous les jours avec des câlins, des bisous, des mots doux... plutôt que d'attendre la panne.

La colère a un ennemi public n°1
qui la rend énorme et ingérable, qui la transforme en rage ! Trouve-le !

❹ violet ❸ bleu ❷ jaune ❶ rouge

Eh oui ! Le sucre rend nos colères excessives et parfois incontrôlables ! Dur dur quand on aime les bonbons ! Heureusement, les produits naturels, même sucrés, ne font pas cet effet.
CARAMEL
Cola Cool !
Regarde les aliments suivants et colorie en rouge ceux qui favorisent l'énervement.

Pour bien réguler notre colère (et toutes nos émotions), notre cerveau a besoin de bonnes graisses, celles qui permettent de construire la myéline. La myéline entoure les neurones. Grâce à elle, les messages vont plus vite.

Voici des réseaux d'autoroutes
qui font passer les informations dans notre cerveau.
Dessine des traits de messages dans tous les tunnels !
Les informations foncent !

Les Oméga 3 sont des bonnes graisses pour le cerveau.
Les aliments ci-dessous en contiennent beaucoup.

Colle les gommettes au bon endroit.

Peux-tu faire la posture de l'arbre ? Fixe un point devant toi et entraîne toi.

Cette posture d'équilibre t'aide à trouver la force, la motivation et la confiance dont tu as besoin pour apprendre à réguler ta colère.

CHASSE AU TRÉSOR

Découpe les petits messages ci-contre
et propose à tes parents de les remplir,
puis de les mettre en boule et les cacher dans leurs habits
(poche, manche, chaussette, élastique à cheveux,
revers de pantalon etc.).

Posologie :
Nous avons besoin
d'au moins
1 message d'amour
chaque jour !

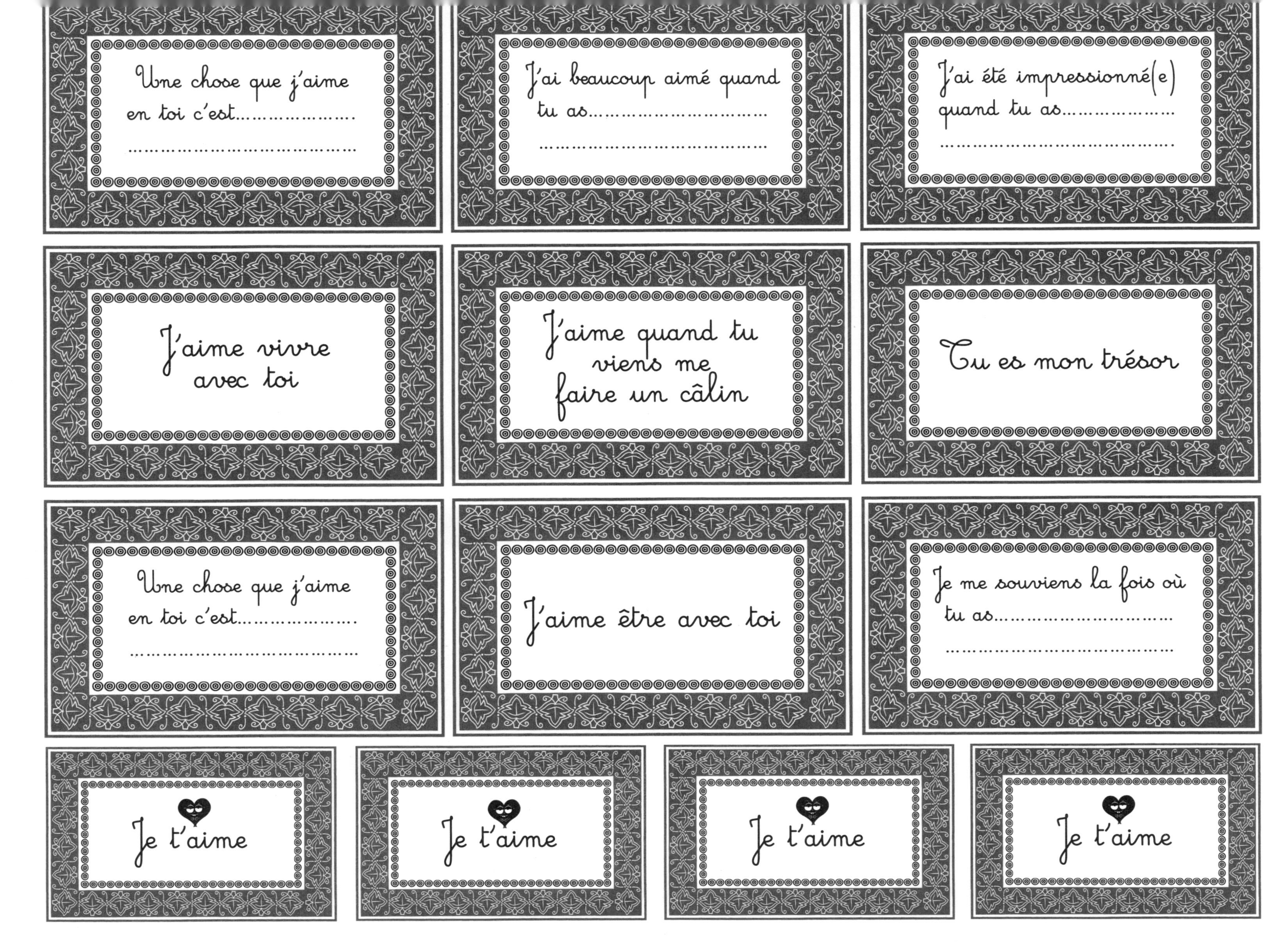
Une chose que j'aime en toi c'est......................
....
J'ai beaucoup aimé quand tu as..............................
....
J'ai été impressionné(e) quand tu as......................
....
J'aime vivre avec toi
J'aime quand tu viens me faire un câlin
Tu es mon trésor
Une chose que j'aime en toi c'est......................
....
J'aime être avec toi
Je me souviens la fois où tu as..............................
....
Je t'aime
Je t'aime
Je t'aime
Je t'aime

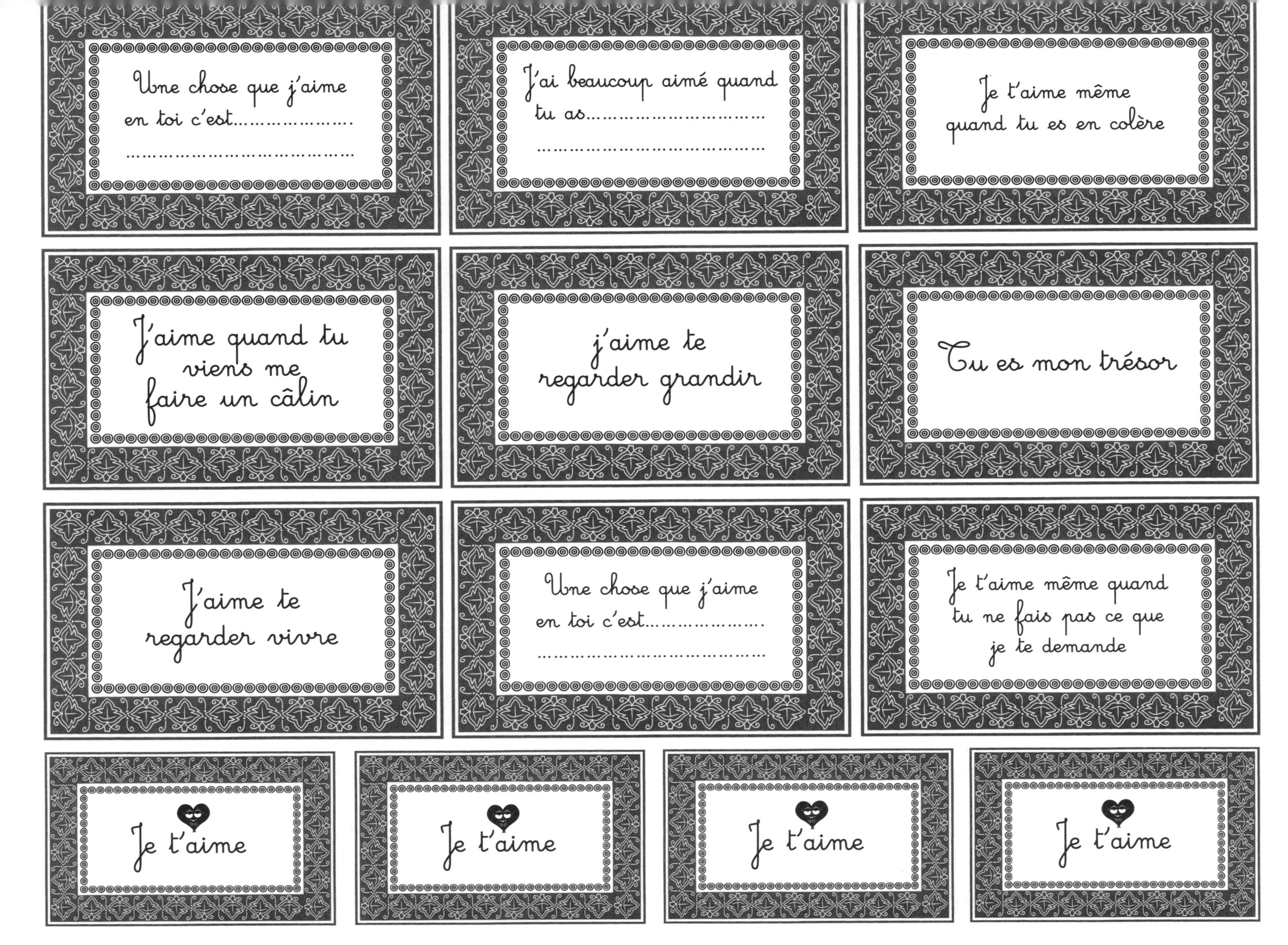
Une chose que j'aime
en toi c'est......................
....
J'ai beaucoup aimé quand
tu as..................................
....
Je t'aime même
quand tu es en colère
J'aime quand tu
viens me
faire un câlin
j'aime te
regarder grandir
Tu es mon trésor
J'aime te
regarder vivre
Une chose que j'aime
en toi c'est......................
....
Je t'aime même quand
tu ne fais pas ce que
je te demande
Je t'aime
Je t'aime
Je t'aime
Je t'aime

Les messages doux que j'aime entendre :

Les messages doux que j'aime dire :

Pour aider chacun à se débarrasser
de ses réactions désagréables,
excessives, blessantes,
voici la roue du retour au calme.

Tu peux l'accrocher dans la maison.
Tout le monde pourra l'utiliser.

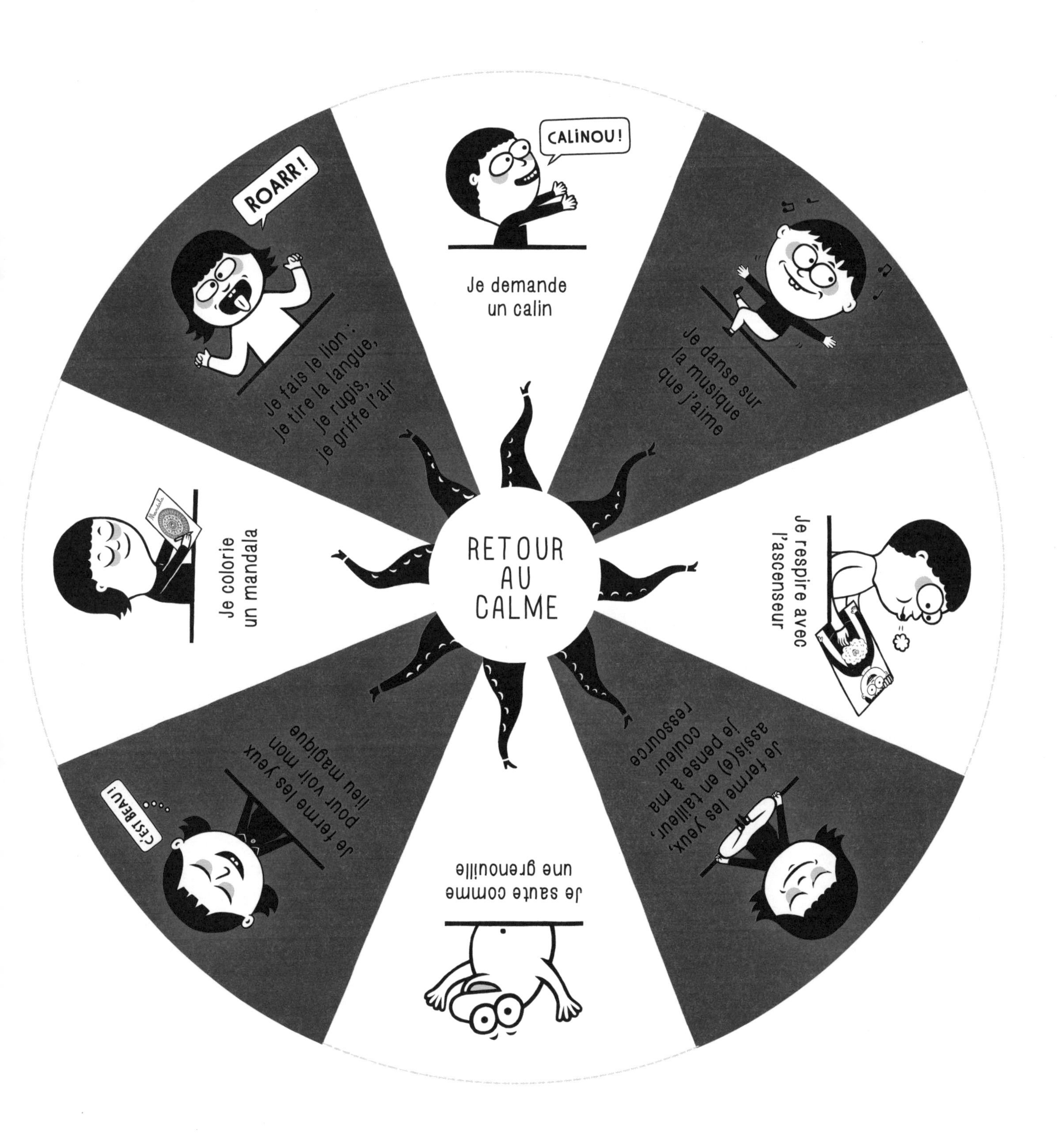
RETOUR AU CALME
CALINOU !
Je demande un calin
Je danse sur la musique que j'aime
Je respire avec l'ascenseur
Je ferme les yeux, assis(e) en tailleur, je pense à ma couleur ressource
Je saute comme une grenouille
C'EST BEAU !
Je ferme les yeux pour voir mon lieu magique
Je colorie un mandala
ROARR !
Je fais le lion : je tire la langue, je rugis, je griffe l'air

Quand je suis en rage ou furieux :

1. Je choisis un outil de retour au calme.
2. Je parle avec papa ou maman et je cherche si la situation me rappelle un moment plus ancien dans ma vie où je n'ai pas exprimé ma colère.
3. Si un souvenir me revient, j'exprime cette première colère avec des dessins de colère ou en faisant le ninja !

Adélaïde Dupont est en rage !
Étrange, c'est seulement parce que sa petite-fille
Charlie saute dans les flaques d'eau !
Il se passe quelque chose !
Colorie la scène.

Si tu relies les points,
tu vas découvrir une machine merveilleuse...

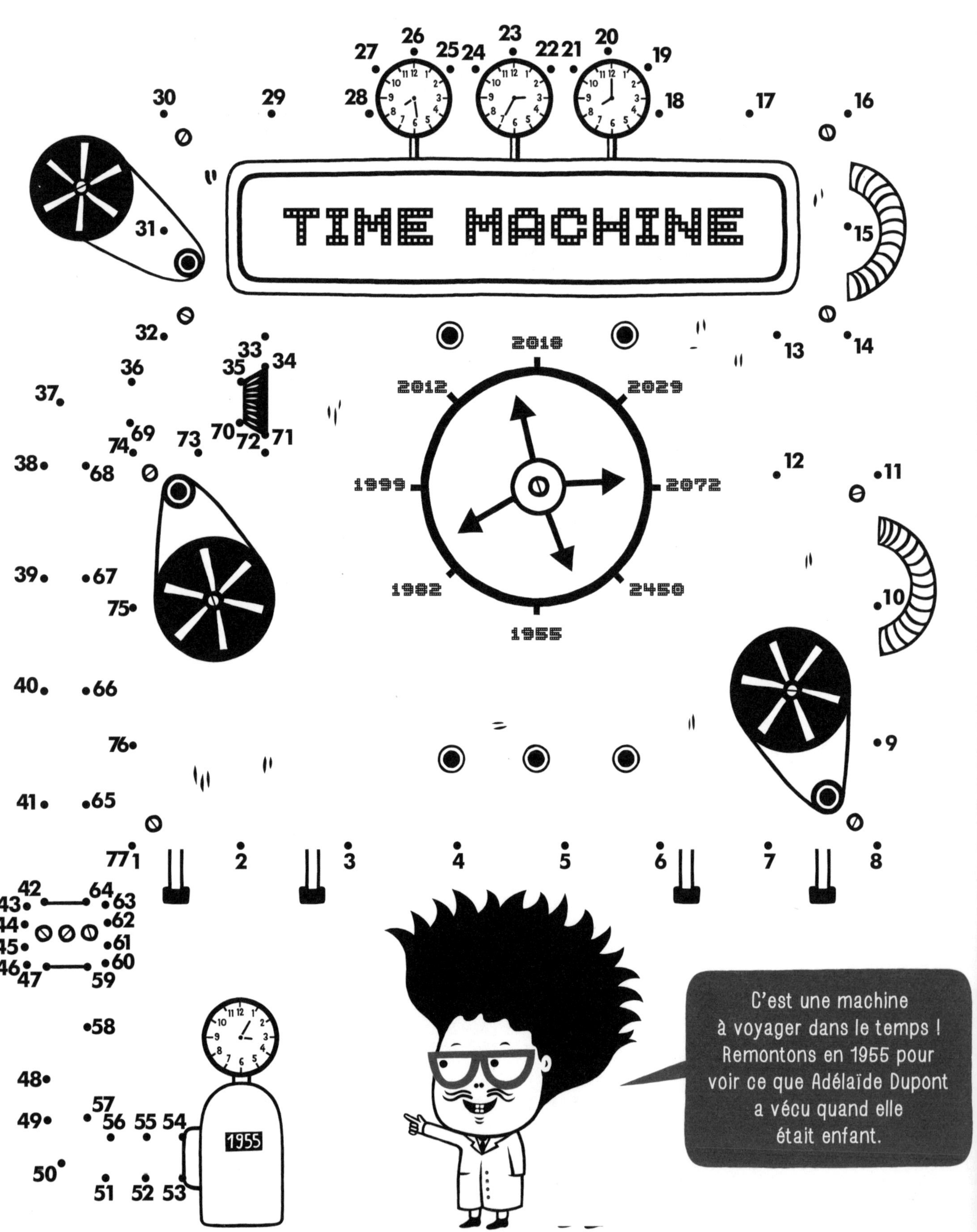

TIME MACHINE
2018
2012
2029
1999
2072
1982
2450
1955
1955
C'est une machine à voyager dans le temps ! Remontons en 1955 pour voir ce que Adélaïde Dupont a vécu quand elle était enfant.

À ton avis que s'est-il passé dans l'enfance d'Adélaïde Dupont ?

Quand Adélaïde Dupont voit Charlie sauter dans les flaques d'eau, son cerveau la fait hurler comme faisait sa grand-mère sur elle, quand elle était petite.

Quand on s'énerve, comme Adélaïde Dupont, on peut apprendre à retrouver son calme avec des techniques comme celle-ci :

En fermant les yeux, tu peux imaginer un lieu magique qui représente le calme. Tu sens le soleil chauffer ton visage, le vent caresser ta joue, tu vois un lieu de nature apaisant (peut-être la mer, la montagne, une rivière, un champ de fleurs).

Après quelques instants dans ce lieu magnifique, tu peux le dessiner ici :

Tu peux aider la grand-mère de
Charlie à libérer sa colère contre sa propre grand-mère.

Remplis sa feuille d'un grand dessin de colère !

Regarde comme elle joue maintenant avec Charlie !
Colle des gommettes de ballons autour d'Adélaïde
et de sa petite-fille et colorie la scène.

Quand les adultes crient sur nous, on se met à crier nous aussi ! Quand les adultes râlent, on se met à râler aussi !
S'ils nous disent des mots blessants, on se met à faire pareil avec nos copains et copines. Les adultes ne font pas exprès, et nous non plus !
Comme Adélaïde Dupont, nous reproduisons ce que nous vivons !

Parfois aussi nous détestons une personne car nous avons une véritable collection de colères accumulées contre elle depuis plusieurs jours, plusieurs semaines, plusieurs mois... Ça s'appelle la rancœur !

Toutes ces petites colères se transforment en grosse rancœur et parfois même en haine car nous avons tout gardé dans notre cœur au lieu de l'exprimer.

Colle des petites colères un peu partout sur cette grosse rancœur.

PETIT MODE D'EMPLOI

POUR SE LIBÉRER DE LA RANCŒUR

1. Pense à un copain ou une copine, un frère, une soeur, un membre de ta famille contre qui tu as plusieurs colères accumulées.

2. Découpe les petits bons (page 89) et écris les moments où tu t'es senti(e) blessé(e), frustré(e), dévalorisé(e)... sans oser le dire.

3. Retrouve le souvenir le plus ancien possible : c'est celui-là qui compte le plus et que tu dois libérer : fais le ninja, dessine ta colère, tape dans un ballon, crie que tu n'as pas aimé...

4. Maintenant, tu es prêt(e) à laisser partir les autres souvenirs : choisis de les mettre à la poubelle, dans les toilettes ou de les enterrer dans la nature pour t'en libérer.

5. Quand tu te sentiras prêt(e), raconte à ton copain ou à ta copine le premier souvenir qui t'a blessé(e) et que tu n'avais pas osé dire. Quand on parle ensemble, on peut se réconcilier !

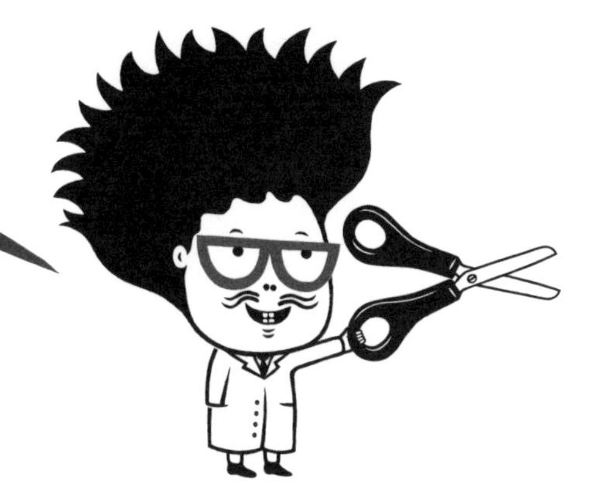

Découpe ce petit mode d'emploi à utliser si la rancœur débarque chez toi.

J'ai été en colère le jour où

J'ai été en colère le jour où

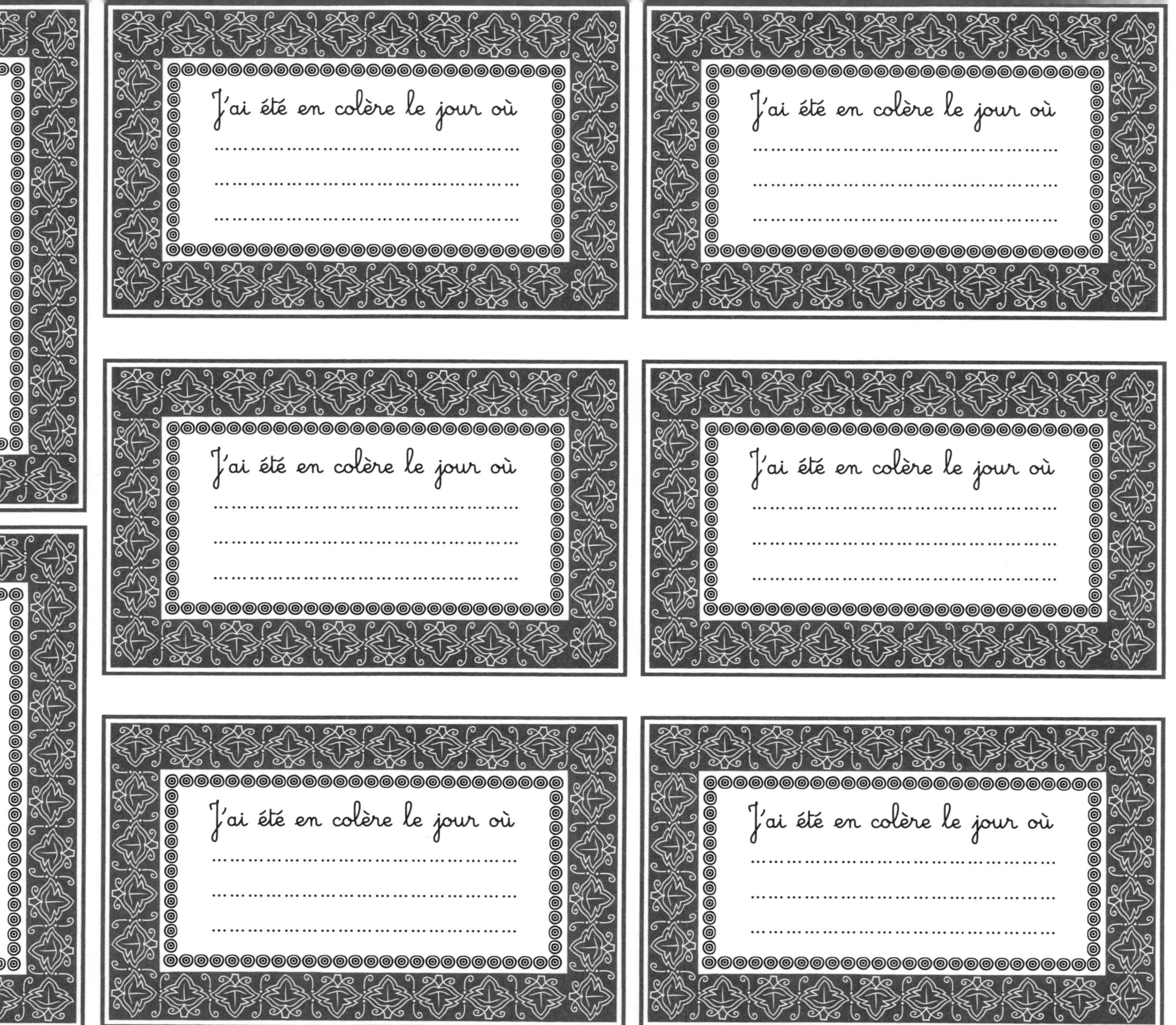
J'ai été en colère le jour où
J'ai été en colère le jour où
J'ai été en colère le jour où
J'ai été en colère le jour où
J'ai été en colère le jour où
J'ai été en colère le jour où

PROTÉGEONS LES PANDAS, LES BALEINES, LES ÉLÉPHANTS !
Bonjour, je suis Lovlov, j'ai 290 ans, et j'en ai vu des injustices sur notre planète.
La colère nous permet de nous indigner contre des situations inacceptables pour nous et pour les autres. Elle sert à dire que l'on n'est pas d'accord !
Les grèves, les manifestations servent à exprimer la colère tous ensemble !

Colorie toutes les pancartes
qui parlent de sujets qui te tiennent à cœur
et que tu aimerais pouvoir
changer sur Terre :

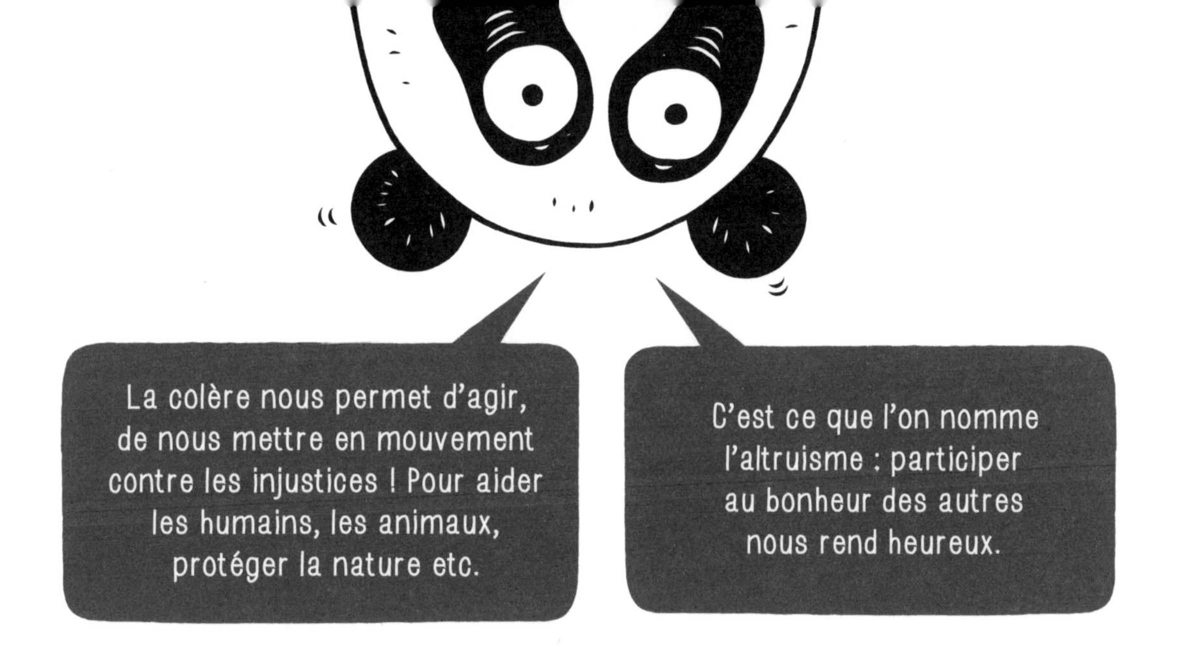

La colère nous permet d'agir, de nous mettre en mouvement contre les injustices ! Pour aider les humains, les animaux, protéger la nature etc.
C'est ce que l'on nomme l'altruisme : participer au bonheur des autres nous rend heureux.

Quel thème de la manifestation réveille le plus de colère en toi en ce moment ?

....

....

....

....

....

....

....

Comment peux-tu utiliser ta colère pour faire quelque chose d'utile ? As-tu des idées ?

....

....

....

....

....

....

....

Voici quelques idées !

* Demande à tes parents de signer pour toi une pétition en ligne (car il faut avoir 18 ans pour signer).
* Renseigne-toi sur un sujet puis informe au moins 5 personnes autour de toi.
* Parle du sujet dans ta classe ou mobilise des amis et organisez une fête, une tombola, une exposition : l'argent récolté ira à une association humanitaire.
* Fais un don à une association (jouets, matériels d'école, argent, habits...).

Mon projet :

* Le sujet qui me tient à cœur : ....

....

....

....

* Ce que je décide de mettre en place : ....

....

....

....

....

* L'équipe qui m'aide : ....

....

....

....

....

* Mes besoins matériels : ....

....

....

....

....

* Mon planning : ....

....

....

....

....

Colère
et retour au calme

Le cahier pour les parents

Par Isabelle Filliozat

« Comme tu es vilain quand tu es en colère ! », « Tu te calmes immédiatement ! », « Vas dans ta chambre et n'en reviens qu'avec le sourire ». Nos parents n'acceptaient pas notre colère et même la réprouvaient ouvertement. Quand nos enfants montrent la leur, nous avons parfois du mal à la supporter. Pourtant, nous savons que l'accueillir est important. Nous apprenons dans les magazines que les colères réprimées peuvent mener à toutes sortes de désordres psychosomatiques. Nous avons — vaguement ou plus précisément — le souvenir de nos blessures d'enfant. Quand nos parents étaient furieux, ils nous en attribuaient souvent la responsabilité : « Tu es insupportable ! », « Si tu me cherches, tu vas me trouver ! » Même quand eux étaient en colère, c'était encore de notre faute ! Ils criaient et semblaient hors d'eux... Mais ils disaient que leur colère était justifiée, que c'était de l'éducation. Bilan, nous avons intégré l'idée que la colère, ce n'est pas bien, et qu'on y a droit seulement quand on est le plus fort. À l'école, nous n'en avons guère appris plus. Autorisée, voire valorisée chez les maîtres, elle est interdite aux élèves. Là encore le message est clair : la colère est l'attribut des puissants. Seulement voilà, si la colère n'est légitime que pour le plus fort... Ce n'est plus une émotion, c'est une définition de la violence !

Parce que personne n'aime se qualifier de violent, les adultes ont utilisé le mot colère pour justifier leurs comportements. En réalité, ce n'en était probablement pas, car la colère est une belle émotion utile à la construction de l'identité et à l'harmonie dans les relations. Quand on « sort de ses gonds », quand on est « hors de soi », quand la réaction émotionnelle est démesurée, destructrice et utilisée pour exercer un pouvoir sur autrui, il s'agit de fureur, de rage, d'excès de stress, de réaction émotionnelle parasite qui vient de notre histoire et/ou de violence. Ce n'est pas l'émotion de colère.

Et si ce n'était pas de la colère ?

La vraie colère est affirmation, pas agression. Notre cœur accélère, notre corps se mobilise, ce qui nous permet de réaliser : « quelque chose ne me convient pas ! » Dire sa colère, ce peut être simplement dire stop, exprimer ce qui se passe pour nous, énoncer nos droits avec fermeté sans forcément crier ou tempêter. Évidemment, un enfant n'est pas encore capable de cette maîtrise, son cerveau n'a pas encore développé les connexions qui lui permettent de réguler ses émotions, mais nous pouvons la lui enseigner progressivement.

Les émotions sont des réactions physiologiques de l'organisme. Chaque émotion est utile et a une fonction. La colère est une réponse à la frustration et à toute menace de notre intégrité. Elle dessine les contours de notre identité, de notre territoire et permet d'exister face à l'autre et de rétablir l'harmonie de la relation quand cet autre ne respecte pas notre espace. Malgré ce qu'on dit, elle se révèle excellente conseillère ! Eh oui, cela a été mesuré : une personne en colère est plus attentive aux détails, elle repère plus facilement ce qui ne va pas, elle analyse mieux les problèmes ! Les mauvaises conseillères sont les réactions parasites, les réactions liées à l'accumulation de stress ou à la réactivation d'un souvenir ancien. Il arrive aussi que nous cachions notre vulnérabilité, nos hontes, notre impuissance, derrière un masque de colère. Mais cette colère-là n'est pas la vraie colère.

La violence, c'est quand on est hors de soi

Votre enfant donne des coups de pied, jure, crache, mord, lance ses jouets ? S'il est « hors de lui », c'est une crise de rage. Verbaliser « tu es en colère » sera contre productif et risque d'augmenter sa rage. Il n'est pas en colère, il est simplement en état de stress. Il a accumulé trop de tensions au cours de la journée ou il est resté assis et/ou a regardé la télévision trop longtemps. Dans son cerveau, ça « disjoncte ». Il a besoin de nous pour calmer la tempête électrique dans son cerveau. Nous pouvons lui proposer les outils de retour au calme de la roue de la p. 75.

Les circuits émotionnels du cerveau d'un enfant sont sensibles et les zones de la réflexion, de la tempérance, ne sont pas encore matures. Il a donc des réactions émotionnelles plus fortes qu'un adulte. Mais tout de même, des hurlements pour un biscuit cassé ou face à un refus ne sont pas justifiés. L'intensité de la réaction, la brutalité de l'explosion parlent d'autre chose. Le cerveau de l'enfant est sous stress. Le stress est une réaction d'adaptation face au danger, au manque ou à la surstimulation. Il se peut qu'il ait vécu des choses difficiles, et ait dû réprimer ses émotions. Il se sent peut-être impuissant, frustré, démuni et éclate par moments quand les barrières lâchent, c'est-à-dire lors d'une énième petite frustration ou lorsqu'il est fatigué. Il a peut-être mangé trop de sucre ou consommé des additifs alimentaires (déclenchant des problèmes d'activité et d'attention), n'a pas bougé suffisamment ou est resté devant un écran. Les tensions se sont accumulées en lui pour exploser, particulièrement face à la personne qui s'est prioritairement occupée de lui durant les premiers mois de sa vie – le plus souvent sa maman.

L'aider quand il est en crise

Pour aider l'enfant face à la crise de stress, deux grandes options : le calme ou la décharge de tensions. En première intention, nous pouvons le prendre dans les bras et lui faire un câlin, ce qui aura aussi le bénéfice de nous tempérer ! La libération d'ocytocine dans son cerveau va calmer son amygdale. À moins qu'il ne soit déjà trop loin dans l'orage et ait besoin d'exploser, de taper des pieds, de courir, de sortir toutes ces tensions. Des gestes coordonnées aideront à la connexion entre différentes zones de son cerveau et lui permettront de réguler ses émotions plus rapidement. Il arrive que le mouvement augmente l'excitation au lieu de mener à la relaxation. C'est le cas quand le cerveau est submergé, chez les enfants très sensibles et dont les circuits cérébraux sont hyperactivés. Certains enfants apprécient alors de se sentir maintenus, contenus, comme rassemblés. Des sensations de pression ferme (et tendre) peuvent calmer leur système d'alarme.

La (vraie) colère est l'émotion de l'identité et de la confiance

La colère étant l'émotion qui permet à l'humain de restaurer son sentiment d'intégrité, de défendre ses droits, toute répression de colère risque d'enclencher une perte de confiance en soi. Quand l'enfant ne peut exprimer sa juste colère ou quand il n'est pas entendu, le stress s'accumule et peut exploser en crise de rage. L'enfant peut aussi retourner sa colère contre lui-même : elle peut alors se muer en peur ou en tristesse et installer un sentiment d'insécurité ou de repli. Il est donc important de permettre à nos enfants d'exprimer leurs colères et de leur enseigner à les exprimer de manière à être entendu. Pour cela, il nous faut faire la paix avec cette belle émotion.

En colère, on affirme son identité, ses droits. On restaure la frontière avec autrui.

« Quand tu prends mon nounours sans me demander, ça me fait non dans mon cœur. C'est mon nounours, c'est moi qui décide pour mon nounours. Tu n'as pas le droit de le prendre comme ça. Si tu le veux, tu me demandes. »

Une réaction biologique dans le corps

Une émotion se déroule en trois phases : **l'alerte** (ou charge), **l'action** (ou la tension si l'action est impossible) et **la décharge du trop-plein d'énergie non utilisée** (ou expression). Nos sens perçoivent une menace ou une souffrance, l'amygdale envoie le message d'alerte dans l'organisme. Dans le cas de la colère, le cœur bat plus vite, la chaleur monte dans le corps, nous percevons à l'intérieur « Ça me fait NON ». Le sang afflue dans le haut du corps, dans les bras, les mains. La mâchoire inférieure, tendue, s'avance. Les sourcils se froncent. L'expiration se fait plus longue que l'inspiration. Nous serrons les poings, l'envie de frapper est là. Il est important de mesurer que toutes ces sensations ne sont pas « dans la tête », elles sont des effets biologiques naturels de l'alerte déclenchée par l'amygdale. Petit, l'enfant n'arrive pas toujours à se retenir de frapper. Ses circuits cérébraux ne sont pas encore suffisamment opérationnels pour lui permettre de se contenir. Il a du mal à se calmer quand il est frustré, il lui est difficile de se remettre d'une déception ? Il a besoin d'outils pour apprendre à réguler sa colère.

Nous avons à enseigner à nos enfants des gestes pour faire sortir toutes ces tensions sans blesser autrui. Quand il s'agit d'une véritable émotion, cette étape de libération dure en moyenne 90 secondes. Si cela dure plus longtemps... c'est que l'enfant n'est pas habité par une émotion de colère, mais qu'il est envahi de stress et/ou qu'une autre émotion se dissimule derrière la réaction.

S'il s'agit d'une vraie colère, on peut lui proposer de frapper sur un coussin dédié, le coussin de colère. Mais cette technique peut avoir des résultats mitigés si elle n'est pas utilisée correctement. En effet, les gestes courts, rapides, comme cogner avec les poings sur un coussin ou un punching-ball n'ont pas le même impact que les mouvements amples. Les gestes courts et rapides ont tendance à renforcer le sentiment d'impuissance et donc à maintenir l'activation des zones émotionnelles du cerveau. Ce peut toutefois être une étape intermédiaire. Pour décharger les tensions de la colère sur un coussin, il est important de lever bien les deux mains au-dessus de la tête avant de frapper le coussin, de manière à bien ouvrir la cage thoracique, le plexus, respirer profondément et mobiliser les muscles larges. Dans le cahier, nous proposons à l'enfant de taper dans nos mains ouvertes ou de faire le « ninja » en tapant une feuille de journal que nous tenons ouverte.

Accompagner sa colère : A·D·M·I·R·E·R

ACCUEILLIR : Je regarde l'enfant, je me mets à sa hauteur. Je lui signale aussi ainsi que je suis là pour l'écouter.

DÉCRIRE : Je décris ce que je vois : « Tu as les sourcils froncés… »

MOTS : Je mets des mots reliant le déclencheur et la réaction : « Tu es furieux parce que tu voulais vraiment aller au cirque. » Si je ne connais pas la cause, je le lui demande : « Qu'est-ce qui te rend si furieux ? » ou s'il est petit : « Qu'est-ce qui te fait non ? »

INTENSITÉ : Je lui propose un outil de mesure adapté à son âge : « Sur une échelle de 0 à 10, à combien est ta colère ? C'est un gros problème (ou souci), un moyen problème ou un petit problème ? Tu es en colère gros comment ? (et on écarte les bras pour montrer la taille) ».

RECONNAISSANCE DU PROBLÈME ET EMPATHIE : maintenant que je sais ce qui cause sa colère et combien il est en colère, je me mets à sa place, et je verbalise : « C'est vraiment rageant cette grève qui nous empêche d'aller au cirque. C'est frustrant, tu te réjouissais de cette sortie ! »

EXPRESSION : Je sors la roue de la p. 47 et je propose différentes options : « Tu veux faire le ninja ou taper dans mes mains ? »

RÉSOLUTION DU PROBLÈME : Je propose de trouver ensemble dix choses à faire pour remplacer la sortie au cirque. Puis d'en choisir une.

A.D.M.I.R.E.R : Après, je rappelle à l'enfant ce qui s'est passé. « Quand je t'ai dit qu'on ne pouvait pas aller au cirque, tu as senti ta colère monter. Ta colère te disait combien tu avais envie d'y aller et combien ça te frustrait. C'était fort ! Tu me l'as dit ! Tu avais les sourcils froncés et tu sentais des picotements dans tes bras et dans tes jambes. Tu as dit que tu étais frustré à 8 ! Et puis tu as tapé dans mes mains et couru deux fois jusqu'au fond du jardin. Après, on a réfléchi ensemble à ce qu'on pouvait faire à la place pour répondre à cette envie d'une activité joyeuse. On a trouvé dix solutions et tu en as choisi une. On a... (nommer l'activité choisie) et maintenant, comment tu te sens ? Qu'est-ce que tu te dis ? Dans la vie, parfois, on ne peut pas faire ce qu'on a envie ou prévu de faire. On est frustré et on se sent en colère. D'autres fois, la colère sert à demander à l'autre de respecter nos besoins. Mais pour le cirque, on ne pouvait rien changer, c'était une colère de frustration. Notre colère peut nous permettre de sentir ce qui est important pour nous et de trouver autre chose. On peut se libérer de nos tensions et trouver des solutions. C'est ce qu'on a fait ! »

Remplir son réservoir d'énergie adaptative

Avec un réservoir d'énergie adaptative bien plein, l'enfant peut gérer ses frustrations plus facilement. Câlins, regards tendres, mots doux, temps passé ensemble, synchronisation, rires... déclenchent la sécrétion d'ocytocine, l'hormone qui aide à réguler le stress.

Accueillir la colère, c'est important mais pas suffisant

Accueillir avec tendresse leur colère est déjà un pas immense et leur permet non seulement de ne plus avoir peur de leurs émotions, mais de se sentir important à nos yeux, jeune garçon ou jeune fille de valeur. Notre présence affectueuse et entourante lorsqu'ils sont dans l'émotion invite leur cerveau à développer des neurones reliant les zones émotionnelles aux zones de maîtrise des comportements. Rien que notre accueil déjà les équipe pour le futur. Pour être encore plus compétents, nos enfants ont aussi besoin d'acquérir des techniques pour savoir exprimer leur colère, s'affirmer face à autrui ou réguler l'excès de tension dans leur corps et leur cœur. Nous pouvons accueillir chaque colère comme une occasion de nourrir leur intelligence émotionnelle. Former un enfant à maîtriser ses colères, c'est lui enseigner à mettre des mots sur ce qu'il ressent, à identifier les déclencheurs et les causes de sa fureur, à maîtriser son corps, à affirmer ses besoins, les limites de son territoire et de son identité et à résoudre les problèmes auxquels il fait face. Peu à peu, nous découvrirons que la juste expression de la colère permet une vie familiale bien plus harmonieuse et... **Calme !** Car plus un enfant est entendu dans ses colères, moins il fait de crise de rage, mieux il sait exprimer ses besoins et tolérer les frustrations.

Pour aller plus loin

Stop aux crises : pour changer de regard sur les comportements de nos enfants, reconnaître et réguler leur stress et le nôtre !

Fureurs, pleurs et tremblements : apprendre à réagir avec pertinence, empathie et efficacité face aux réactions émotionnelles de nos enfants.

Les fratries : au-delà de la jalousie, saisir les enjeux des rivalités, savoir quand et comment intervenir dans les conflits.

J'ai plus peur : un atelier pour apprendre à accueillir et accompagner les réactions anxieuses de votre enfant, pour ne plus avoir peur de ses peurs et jouer à « Et si » sans crainte, pour le libérer d'une phobie des araignées ou des hauteurs grâce à des techniques performantes.

Eh bah, voilà !